Collection Poésie

L'Hexagone bénéficie du soutien de la Société de développement des entre-prises culturelles du Québec (SODEC) pour son programme d'édition.

Nous reconnaissons l'aide financière du gouvernement du Canada par l'entremise du Programme d'aide au développement de l'industrie de l'édition (PADIÉ) pour nos activités d'édition.

Nous remercions le Conseil des Arts du Canada de l'aide accordée à notre programme de publication.

DU MÊME AUTEUR

Les Nouveaux Poètes d'Amérique, Montréal, Les Intouchables, coll. «Poètes de brousse», 1998.

Jour buvard d'encre suivi de *Choses fragiles*, Ottawa, Éditions du Vermillon, 1997. Finaliste au prix Trillium.

Je vais à la convocation, à ma naissance, Sudbury et Trois-Rivières, Prise de Parole et Écrits des Forges, 1997. Prix d'excellence de la Société des écrivains canadiens (section Montréal).

Peut-il rêver celui qui s'endort dans la gueule des chiens, Sudbury, Prise de Parole, 1995. Grand Prix du Salon du livre de Toronto.

La force de la terre reconnaît l'homme à sa démarche, Sudbury, Prise de Parole, 1994.

Paysages d'un songe à la dérive (Sur les traces de Voltaire et J.-J. Rousseau), Trois-Rivières, Presses de l'Université du Québec à Trois-Rivières, 1978.

ROBBERT FORTIN

L'aube
aux balles vertes

suivi de

Avaler sa plus brûlante salive

et de

L'odeur d'aimer

l'HEXAGONE

Éditions de l'HEXAGONE
Une division du groupe Ville-Marie Littérature
1010, rue de La Gauchetière Est
Montréal, Québec H2L 2N5
Tél.: (514) 523-1182
Téléc.: (514) 282-7530
Courriel: vml@sogides.com

Données de catalogage avant publication (Canada)
Fortin, Robbert, 1946-
    L'Aube aux balles vertes; suivi de, Avaler sa plus brûlante salive;
et de, L'Odeur d'aimer
    (Poésie)
    ISBN 2-89006-638-X
    I. Titre. II. Titre: Avaler sa plus brûlante salive. III. Titre:
L'odeur d'aimer.

PS8561.O752A92   2000   C841'.54   C99-941844-0
PS9561.O752A92   2000
PQ3919.2.F67A92   2000

DISTRIBUTEURS EXCLUSIFS:

• Pour le Québec, le Canada et les États-Unis:
LES MESSAGERIES ADP*
955, rue Amherst, Montréal, Québec H2L 3K4
Tél.: (514) 523-1182
Téléc.: (514) 939-0406
*Filiale de Sogides ltée

• Pour la France:
D.E.Q.
30, rue Gay-Lussac, 75005 Paris
Tél.: 01 43 54 49 02
Téléc.: 01 43 54 39 15
Courriel: liquebec@cybercable.fr

• Pour la Suisse:
TRANSAT S.A.
4 Ter, route des Jeunes, C.P. 1210, 1211 Genève 26
Tél.: (41-22) 342-77-40
Téléc.: (41-22) 343-46-46

Dépôt légal: 1er trimestre 2000
Bibliothèque nationale du Québec
Bibliothèque nationale du Canada

L'aube aux balles vertes

Il suffit de mettre sa signature
sur la matière troublante des feuilles
et la lumière nous étreint
pour ne pas mourir sans visage

BALBUTIEMENTS

Toute eau épuisée dans l'os
les premiers balbutiements
paraissent aux lèvres
offices des paroles
depuis la fibre de l'instinct
jusqu'au déroulement de l'être

Mais déjà dans le regard
la sensation fertile
d'une somme lumineuse d'oxygène
précédant notre venue au monde

Toutes choses arrivent avant nous
bien avant qu'elles n'aient germé
leur futur animal
dans le doute du poème
et donnent leur mesure
à l'écume de l'esprit
surprenant notre moelle

FAUVE

Fauve c'est
la vie d'instants
de cris et de
silences
vive déchue
terrocéane aux
confettis de
jeunes étoiles

si
imparfaite comme
l'enfer du
je à l'autre qu'aucun
fond n'accueille

comment
faire pour
exister sans
s'effondrer quand le
béton casse

peu que
l'on a en gueule

s'épile de
fait dans la beauté
du hérisson

rien n'est
tout à fait vide
ni tout à fait plein
quand la vie me
remet en question

LES CASES VIDES

Il ne suffit pas
de s'éveiller à l'invisible
pour éprouver la sensation
d'avoir tout compris
des grâces du moment
de l'épreuve des ténèbres
ou de la faillite de l'âme
petites révélations de l'être
destinées aux écritures

L'ordre et le chaos
sont des balles aux seins creux

L'aveugle s'accomplit
même s'il doit sucer la nuit
un lait d'insecte

Le soleil ne pourrait regarder la mort
sans traverser le désert
où l'eau marche vers l'oasis

Le détail du silence
lorsqu'il s'arrête sous la poitrine

remue en l'os
l'inavoué de l'enflure

La faille qui ébranle le paysage
le vent s'en sert
pour guider la descente
d'un faucon sur sa proie

La case vide
est une case départ
l'existence sans substance
où disparaissent les obstacles
pour éclaircir l'opacité du cœur

Et si un homme n'a jamais vu
des deux côtés de sa tête
la mort se maintenir
entre l'idée du tout et du rien
avant de se dépouiller de l'insupportable

la vie ne lui est d'aucun secours

RIEN À DIRE

Traîner des pas d'automne
sur des trottoirs chargés d'absurde
et traverser la nuit
sous des teintes de rouille
qui finissent par faire mal
quand elles veulent respirer

Le monde a fixé sa misère
mains sales
mains vides
aucune chance entre les deux
trop de crasse aux fenêtres
où dorment les cœurs à sec

Voici mes rêves défaits sans avoir été
il est temps de brûler
dans une corniche d'étoiles
ce qui semblait
vouloir dire quelque chose

Je n'ai pas besoin des regrets
pour comprendre aux portes
d'où vient le chant des morts

J'ai tourné tous les jours
dans une tresse d'oiseaux
qui m'a fait faux bond
lorsque la vie ne tenait plus en place
dans mon mouchoir

Maintenant la nuit
comme un verre renversé
m'arrache le jour des mains

Hanté le vent passe à cheval
et le vierge a bu mes songes

LUNE NOIRE

Belle et triste
plus noire qu'un feu
abandonné sur la neige

La lune attend
l'étoile peinte
au flanc de la montagne
pour s'approcher d'un poète fatigué
des meutes d'angoisse
consommant sa tendresse docile

Le poids des larmes
les élans de l'obscur
gagnent toujours contre
la création d'un sentiment d'urgence

Tout passe par le cœur
quand l'agrafe des chiens
force la serrure de la plaie

Lentement la mort
vient jeter un trait de lumière
déguisé en lune noire
dans le secret de la chair

Et à quelques pas de là
plus rien que moi
dans l'épaisseur de vivre
troué comme un arbre
qui ne lâche jamais ses racines

NEIGES

Neiges Montréal
tu peux toujours neiger

Tes rues
comme des ailes inutiles
qu'on suspend au bleu des étendues

Quelque part
la mort la mort
taxi de brume blanche

Où allons-nous
sous les voûtes entre l'amour et la guerre
éteints et pourrissants?
Là-bas sous les arbres
qui ont perdu leur lumière?
Toucherons-nous au pain sous la pierre?

Tout savoir est impossible
quand le ciel craque déjà ses morts

DOSE MASSIVE

Les mots n'atteignent plus
ceux qui regardent les lampes

Les yeux se cassent
comme une joie évanouie
avant l'heure de sa naissance

Les mains étouffent l'espace

On m'interdit de regarder
la blessure au cou des oiseaux

Rien d'hommes véritables
cagoule et canons
Races armées
aux boulets des arnaques
banlieues barricades

Les Indiens s'ennuient
des oies sauvages
dans un bar de Kanesatake

Rien de Sacré
venu du courage

LESS IS MORE

Que me veux-tu ?

Notre présence
au monde suffit-elle
pour constituer une source
d'inspiration ?

Less is more

Notre vie est
tout aussi importante
que le sens usuel
des mots et des morts
lézards sur un mur blanc

JOUR DE BLEU PAGAILLE

Ciel gavé d'étoiles
jour de bleu pagaille
où il vaut mieux planer
sauvage dans l'appel du silence

L'œil dépasse le poids du jour
où se disputent les ailes
de l'usage qu'elles ont
d'occuper tout l'espace

Morte l'île morte cassée au froid
avec la chute des feuilles

L'hiver découpe ses banquises
pour fendre un oiseau

Et mon cœur laissé à lui-même
s'interroge en comptant les secondes
qui le porteront du paysage au poème

GOMMER LE RÉEL

Fondamental je joue à reconstruire
le monde pour affronter le drame
de l'os qui me décompose
comme on dit d'une feuille
détachée de son arbre
qui voudrait rendre vivable
une vie de gouttière

Gommer le réel
soulever le grave
et la nécessité du dépouillement

M'incarner dans le maigre
à portée d'essentiel allumer la moelle
d'une seule parole et donner
à boire le don d'être humain
en rêvant au jour
où cela ne sera plus important
de découvrir la vérité

Cela me suffit
pour ne pas renoncer

ILS SONT PLUSIEURS EN MOI

Ils sont plusieurs en moi vite perdus
quand je parle de ruelles
où frotter le cuir des regards

Ils sont plusieurs en moi mis en demeure
quand je souffre d'attendre
des preuves d'aimer
avec un goût de cendre
dans la bouche

Ils sont plusieurs en moi coupables de rêver
à se dire la résurrection des arbres
sans trahir la voie humaine
dont je crois deviner les racines

Ils sont plusieurs en moi
à n'être pas
un mot coupé de son souffle

Ils sont plusieurs en moi jamais assagis
quand je refuse d'envisager
ma vie comme passage pour touristes

Je demeure de l'élévation du vent
qui ne demande jamais où s'asseoir
de peur de trouver mes os
aux objets usuels
avec l'insuffisance d'une table
jamais mise pour ce peu de terre
qui me lie à ces moments de lumière

DERNIER RECOURS

Tu ne pourras t'en sauver
que singulier, collectif
cœur fêlé comme une boussole
qui n'indique que le poivre des œillets

Alors faute de prières
tu danses avec tes ruptures
pour atteindre l'état de grâce
avec un poème d'illumination sous la peau

Au bout du tunnel
l'eau la lumière
ton visage tourné en songe
et tes mains épinglées
de mots suppliant l'éternité
de t'annexer à la bague du puits
pour offrir ton corps
à la dissolution du désert
où l'illusion se mêle aux grains de sable
et le réel à l'absolu

PHÉNOMÈNE

La nuit je pends mes yeux
dans l'espace jeux étanches
où le corps s'imagine
présent aux choses
révélées en moi

Brève incision sous le sourcil
le regard monte
vers la noce du jour
dans le risque de l'insecte

C'est ainsi que je nais
aux premiers battements d'aube
nu sur le seuil du monde

La chair peut glisser
vers ses cendres
et oublier que je suis
ce que n'est
aucun être
enrichi d'inexplicable
avant la matière du réel

Un cri d'ange

Une voix qui se détache du corps
vêtement sonore
l'encre du corps repris au corps
quand le sublime atteint
quelque chose d'insupportable
sous la cloche des paupières

Un cri d'ange
trop vaste pour la matière
les lieux les visages
Une autre vie
portée par sa source
jusqu'au noir cristal
vibrant d'hertz
entre la peau et l'apparence

Une voix bue
par la mort
quand la lumière parle d'effets
des fréquences d'intime ivresse
jusqu'au tremblement où l'être mue

Une voix lavée
de son corps
quand la nuit suggère l'idée
d'une étoile au bout de sa perfection

LUNE BLANCHE

Petite boule d'abat-jour décoré d'étoiles
ma sphère hostie aux effets de voyante
affamée de son reflet
sur un lac Cobalt Blue
exhibant l'espace tourné vers l'eau
pour tromper le réel
de ce qui nous traverse
quand les yeux sont pleins
de ces blessures cousues au corps

Ô lune blanche
tu fus aussi cette larme
sur mon livre d'écolier
l'encre chagrin
des nuits où je voulais m'évader
jusqu'à l'émiettement
d'un cœur cru aimé

Soudain il faut tout recommencer
réapprendre à jeter des ponts
au centième de seconde
Peut-être es-tu l'instantané
volé aux sels d'argent

Polaroïd Brooklyn
Apollo Blues
Clair de lune Café
malgré nos os sous les journaux
à l'heure où Neil Armstrong
walking on the moon
clouait sur ta face
un drapeau américain
comme on plante
un cure-dent dans l'olive
une épine dans le crâne

Mais jusqu'où chercher la clarté
entre le pansement le cliché la passion
quand tu te refuses
à habiter le paysage
hors d'atteinte

perchée sur tes songes

UNE BANQUE D'AIR BRÛLE

En une seconde
la matière bouscule
les vérités du monde
le feu fait éclater l'air
comprimé dans les bouteilles

S'est désintégrée
la structure des atomes

Tant pis pour les lieux défaits :
décombres des nuits mauves
arrachements des portes
bribes de mémoire
envolés avec la légèreté des choses

Regards espaces poussières
retournent aux jeux des silences

À l'intérieur des cendres
mon cœur poursuit son petit bruit
et les mots regardent la vie
occupée tel un fruit rond

CHAIR À SEMENCE

J'ai remarqué
vivant d'épreuves et de risques
un tout petit événement
d'où émerge l'os d'écrire
ce lieu où seul
ce que je suis suffit
à me défaire de mon corps
pour me laver des distances
entre l'apparence et l'invisible

Et tel un ciel sans géographie
je vais m'immoler
chair à semence
dans la lumière des bouches
attentif à l'énigme d'un point d'encre
au revers de mon âme

JEUX DE GORGE

Timbres du vent sur la banquise
sons de neige sur un lustre de cristal
clochettes de muguet dans un jardin polaire
souffle des bêtes aux germes sacrés
j'entends des voix
d'Inuits aux couleurs
craquantes de vieilles peaux

Vibrations des êtres de langage
voyelles des chemins de bref été
s'alimentant aux polyphonies syntones
rythmées par les râles des phoques
et les baleines soûles de splendeur

J'aime
ces chants d'énergie
ces tracés d'interfaces et d'oraisons
ainsi qu'un livre sonore
qui s'ouvre à la clé des gorges

On dirait l'hertz qui rebondit sur un iceberg
l'océan qui répond à ses marées de glace
le Nord qui blanchit ses grandes lèvres de lait

et la faune qui unifie l'Antarctique
dans un jargon de guimbardes de bouches
langues frottées au feu du regard
comme une infusion d'aurores boréales
dans le bivouac de l'espace

J'aime ces courants magnétiques
mêlant l'amour à l'hygiène du froid
J'aime ces femmes aux feuilles de givre
qui récitent ce qui reste de sauvage
dans l'esprit des choses

J'aime
ce fuseau d'air sous la pression
des cordes qui déversent
des harpons d'eau
touchant l'os de mon corps
jusqu'au sommet du cœur

CROISSANT DE TERRE

Cendrée la lumière frotte
ses reflets contre les nuages
comme une lune qui s'use
à marée de terre

Pertes de sel et d'eau
une vague s'en prend aux traces
d'un poème parfait
que l'enfant creuse dans ses pas
clairs comme des tunnels sans toit

Quelques mots sur un cahier de sable
la mer avance avec ses épaves

Dans l'effritement du jour
les morts soulèvent
la perle où commence la parole
avec leurs plumes d'âme

poésie où s'unissent les profonds domaines
greffés au croissant de terre

L'INACHEVÉ

Le jour et la nuit
s'échangent leurs lumières

Les mots retournent aux arbres
qui croient à l'épaule d'une feuille

S'ouvrent les parfums de la terre
comme une bolée de bourgeons verts

D'instinct la mort recule
en signalant l'inachevé
du regard et de la bouche

dans ce qui m'emporte

Courants alternatifs

La mer avant de toucher l'âme
supplie le sel d'exister
pour bénir ceux qui l'embrassent
les lèvres fermées

Je sais maintenant que le regard
est un paysage de rédemption

L'AUBE AUX BALLES VERTES

La nuit se dilue dans la boue
laissée par l'atmosphère

L'aube aux balles vertes épie
les moindres imperfections du corps
fixé sur son ombre

La vie n'a ni centre ni tête
elle tourne mélangée
aux essences animales
elle n'échappe ni à l'extinction
ni aux impuretés de l'émotion

Quelque chose de visible émerge
le jour à la tâche du jour
jusqu'à faire de moi
le feu qui prépare l'aurore

Marier l'oiseau dans le sang
dans un boîtier d'éphémère
qui ne sera rien de plus
qu'une moelle craquant
la chair et l'os avides de s'unir

à ce qui peut advenir
du dépouillement de l'œil

S'il en est ainsi
que je sois l'esprit dans la flamme
l'espace dans l'oiseau
le temps dans la montre
comme un mouvement pour m'éveiller
à l'existence des choses
qui n'a d'autre sens
que d'être bulle d'air
dans la spirale du poème

COURANT D'AIR

Le jour sépare la nuit
mieux que l'incendie
au contact du paysage

Pourtant la ville n'assume pas ses arbres
ni le mystère ne remplace la réalité
ni les ordures ne renoncent
à la surface des ruelles

Rien n'atteint le monde discordant

Pourtant passe en moi
ce bourdonnement continu
cette preuve qui étourdit le vide

un courant d'air
énergique aux accès de la vie
une pointe de passion
arnaquée aux civières

comme ce qui court
dans le crâne du poème
avec la maladie aux jambes

ÉCRITURES

Un à un les poèmes
échappent leur souffle sur moi
comme un arbre amène ses odeurs
aux oies blanches dans la technique
des échanges de nourritures

Je ne sais si la vie
prend des proportions
que l'encre au lever du jour
relance à toutes les cendres
avec la main dans l'espoir

Seul le vent reconnaît
le paysage d'une voix
comme s'il n'avait jamais quitté
la beauté à travers un corps

CE QUE N'EST AUCUN AUTRE

Dès l'aube je fais mon miel
avec l'envie de connaître
la fleur abattue par un lézard
dans la tension de la nuit

J'attends que la poésie me frappe
au ventre j'accepte la souffrance
naturellement l'abysse
où les yeux malins se croisent
avec l'occulte du chaos

Excédé de venins et d'agacements
je mets de la cire sur mes larmes
celles des jours de déchets
avec un goût de Norvir

Après je m'attaque à la mort
tirant sous ma peau à bout portant
pour vivre armé contre l'habitude
de lieux sans substance

Un accident un signal
une mutation dans un four à pollen

et comme une ouvrière
à la caresse fatiguée
je me mélange au bien animal
par essence d'extinction divine

RÉFLEXION THERMIQUE

D'une émergence des possibles
des contraintes et de ses lois
l'imprévisible de la nature
se fera inventive pour l'espèce
à naître ou à mourir

La mort ne se prive de rien
ni la vie ni le feu du dedans
pour s'inscrire dans l'instant présent

Alors il faut se nicher
où la sève prend sa feuille
dans le nid de la terre

C'est seulement demain
la tourterelle de la mort
si la beauté prend ses fruits
du tronc du silence

BOUTURES D'OS

Chaque fois
qu'une espèce disparaît
c'est l'homme qui s'abolit
à la racine du jour

L'univers n'est pas
à la charge des recours
une fonction encombrante
que nous écrasons à vif
jusqu'à la fin de la phrase
en éliminant de nos mains
les sens les arguments les preuves

Il suffit de s'installer
dans le deuil de la mort
d'envahir le paysage
au nom de la possession
pour mourir étouffés
cadavres encore chauds
au bout de nos gènes

sans jamais voir
comme mesures de beauté

la chair habiter le souffle
les ligaments de l'âme nourrir
nos boutures d'os

Je ne veux pas l'armature
pour casser la matière
qui répare entre deux mondes l'anatomie
du cœur dans nos veines

mais la corolle d'une seule voix
appelée par l'esprit de l'inépuisable
pour tirer de la souillure
la charge de la vie
écartelant ses ténèbres en faisant entendre
un froissement de lumière
dans les déchets du combustible

LES PETITS PAINS

Farine eau sel levain
la terre et surtout les blés
si la lumière féconde la vie
en chargeant les ténèbres
de glisser jusqu'à l'aube
dans la nudité du cœur

Ajouté aux murmures d'aimer
cela nous laisse
quelques miettes d'éternité
pour rapprocher du bonheur
vastes rituels
où la main déverse un songe
un dé dans l'encre
au commencement des naissances
balbutiements du sang

L'IRRÉVÉLÉ

Il te faut sortir l'arbre
de la terre par les mains
touchant déjà si rouge
le bruissement de la mort

Tant le feu y force
tous les instants de vivre
en léguant aux oiseaux
la force des branches
qu'aucun bras n'a brisée

pour que les feuilles y glissent
un désir l'irrévélé
ainsi qu'une invasion d'ailes
derrière ton regard

Par tes yeux le sol pourra respirer
et le fruit créé
t'ouvrir une voie nouvelle

AVANT DE TRAHIR UN ARBRE

Je reconnais les morts
retenus dans leurs cendres
à présent que les arbres réchauffent
le ciel dans leurs toisons de feuilles

La terre au timbre de l'eau
secoue ses fruits ses parfums
et ses carcasses imbibées de sang
j'en ai la bouche pleine

Je pourrais crevé par l'effort
remettre en marche la mécanique
des mains pour greffer au sol
une semence j'en meurs d'envie

Si cette urgence était un engagement
et moi si convaincu de guérir
d'une cargaison de virus
autour de la taille
nous aurions saigné Barabbas
et menacé la foule d'une balle entre les yeux

avant de trahir un arbre

ABOLIR LE NATUREL

Abolir le naturel
relève de la démence
sachant que l'outrage
tue le pur plaisir
de marcher la vie
sans la défaire
pour que l'âme s'y perde

lorsque tout est fragile
à cette heure où concrets
les yeux répliquent à la mort

ÉCOLOGIE

L'image brûle les yeux
alors que nous sommes
l'issue d'un contrat
annexé au paysage

Un morceau se détache
de la faille et l'émoi
nous ramène à l'écologie
parce que la réalité continue
à exister sans nous
petite loi intraduisible
raboutée au vertige d'éternité

Nul ne peut prouver
qu'un homme est plus important
qu'un arbre parce qu'il entend
passer le vent dans ses branches

Si respirer nous rend feuillage
au milieu des tensions
il est certain que d'autres intuitions
nous refont un sang neuf
quand l'inventaire du stress déborde
le cœur sans parler du soin de ses artères

La seul différence :
l'arbre ignore
le sens la portée des mots
Il soutient déjà
l'homme qui penche
contre lui sa tête fatiguée

PASSAGE

Un jour au bout de mes croyances
je serai heureux
comme un poème qui marche
à côté de mes os

Nul n'asséchera mon cœur
classé selon la filière du troupeau
par ordre alphabétique
dans le sentiment des couleurs

Nul ne relèvera mes traces
trop de temps écoulé
entre ma disparition et ma découverte

Nul n'entendra mes cendres
dans les étoiles où l'espace réplique

Mes yeux
urnes de neige
s'empliront de sons blancs
pour rompre avec le présent

Nul n'entendra le silence
noyer le bruit de l'éternité

Nul ne sera guéri par les rayons
qui partent de mes plaies

En cas d'urgence
nul ne portera mon corps
au milieu des descriptions
entre la civière et le tombeau

Je me disperserai dans mon sang
pour me rapprocher de la clarté
qu'accentue l'aube

J'avalerai la mort dans ma main
et les bleus de l'âme au passage

Revenir chez moi

Un lieu pour planer
comme une feuille un caillou
dans l'odeur du linge frais
quand les cendres dans ma bouche
deviennent insupportables

Je ne pense plus
qu'à cette vie qui jure
que j'existe vraiment

Sensations fortes
intuitions du bonheur
avec ce grand dialogue
qui ébranle la réalité

Je veux la main nue
la chair du silence
dans ma salive sur mes plaies

Il fait nuit le jour
je m'attaque au moment propice
pour évacuer l'uniformité

Avant de devenir méchant
je veux les portes
où se cachent
les jeux d'ombre et de lumière
qui étranglent l'exactitude

Revenir chez moi
en territoire d'encre
lorsque le livre s'accomplit
germes d'urgence
grâce des démesures
épuration de l'os
nourritures du sacre

Avaler sa plus brûlante salive

Le travail d'écrire des poèmes
ne peut être qu'un acte d'amour
se comparant au souffle du feu
quand ça brûle comme de la glace
dans la gorge des mortels

FLAMME ANIMALE

Qui a peur de se perdre
dans la matière des mots
n'a plus rien à découvrir

Alors il faut avancer
dans le partage du doute
quitter tout
en faveur du regard

Faute de soins
saignés par la neige
nous prions de mourir
émus par l'appel du matin

Lavés du bruit
des pages froissées
entre l'incertitude et l'infranchi
ces abîmes d'encre
sur nos deuils

Nous épions nos mains
avant d'élever le monde
au battement du cœur

Nous sommes des métaphores
au bord de la crise
abandonnant tout
à la flamme animale
pour renaître sur le seuil
dans le croisement
de la matière et de l'esprit

À LA POINTE DE L'OS

Un esclave est né
à la pointe de l'os

On a rangé les eaux de sa mère
dans l'armoire aux épaves
et dans son sac à main
ma liberté cette fiole de sang
où bat le cœur en éveil
pour des secrètes corvées

Mais l'esclave laissé au puits
des étoiles joint à son chant
l'air la terre le jour
des enfants à naître

pour s'affranchir d'un nom à boire
en échange d'un poème

JOUER À LA MORT

Un enfant joue à la mort

Il dit que la mort est une petite roue
qui tue d'un coup sans réplique
entre le jeu et le cancer
sans parti pris
pour la réalité de ceux qui restent
dans le couloir d'hôpital
sous l'éclairage des néons blancs

Il dit que le sang l'émeut
mélangé au chaos de son âme
comme un tambour taiko
qui résonne à travers le corps

Il dit que la rue est indépendante
de la volonté du bonheur
parce qu'elle attaque
ce qu'il aime

Il dit que la mort et la vie
sont liées au paysage de sa main
comme un livre de poésie
dans les yeux d'un aveugle

Un enfant joue à s'inventer
de petites lois qu'il colle à ses rêves
en invitant la mort à se coucher
près de lui sans le blesser

PRIVÉ DE VOIR

Privé de voir
l'encre du jour dans mon corps
je suppose qu'une à une mes forces
seraient chargées d'un sang
parfaitement sourd à la beauté

J'avancerais avec ma perte
sans chercher où la terre
transporte les sels de l'esprit

Je marcherais aveugle
sans trouver où les plantes
storent leurs pharmacies

Je ne distinguerais pas la lumière
d'un arbre revenu de la noirceur

Ni n'entendrais le matin
passer sur mes dégoûts
en déjouant le savoir

Toute science épuisée
je ne pourrais comparer

l'os à la moelle d'un crâne
afin de changer constamment de fécondité

La vie s'installerait
jusqu'à l'indifférence
de traiter les zones infectées
par l'abus du rêve
sous la purulence des plaies

Et tout roulerait
dans la pire des confusions
à cause d'une chute existentielle

Nous ne savons pas vivre

Certes il faut
adoucir la blessure

mais
tant d'années
pour faire la preuve de nos mensonges
tant d'efforts et de faiblesses
pour figurer le temps
d'atterrir sur le bonheur

tant d'idiots que nous rendons responsables
de tous nos déboires
jusqu'à ce que nous soyons
à bout de chaque parole
capables par lucide envie
de brûler l'os
au lever de sa forme

corps modernes

gommés d'analyses
d'impropre et de vulgaire

IL NOUS FAUT RESSUSCITER

Par appétit dans la bassesse des séductions
nous sommes condamnés à vivre
lubrifiés en attente d'un orgasme
pour nous reproduire en cas d'amputation

il nous faut ressusciter
dans le vertige du lait cru
débarrassés des attentes
avant d'en sentir les fréquences

il faut revenir
à ce qui nous manque le plus

nous ne savons pas vivre
avec la mort dans la voix
et le génie du feu dans le cœur

AU BORD DU VIDE

Comment fermer les yeux
cette nuit la mort passe
sur le bord de la falaise
à cheval sur ses os de sel

Il fait noirs
puits sans eau
étoile dévêtue de lumière
île sans océan
mes propres os sans issue

En moi toutes traces
fermées au rêve

Touché à vif
je suis debout
près du vide
en pensant à l'erreur
d'aviver une passion de plus

le jour où je serai confronté
à des croix pourries
pour livrer ma chair crue

JUSQU'AUX DERNIERS NERFS

Appeler l'implacable mal
sous la menace d'un suicide
où bondit l'âme
autour du néant

Rien dans les pas perdus
qui ne soit fragile
à la douleur d'une parole

S'il faut crever les mirages
quand le silence s'émeut
de l'urgence d'écrire
je tuerai l'illusion en épurant
la beauté accablée de sentiments

Et sous les clous des étoiles
je ne rêverai plus
à la démesure des marteaux
qui font pleurer les têtes

J'ai le droit d'assumer
tous les risques jusqu'aux derniers nerfs
de vivre le don total
qui ruine le corps du poète

mais élève sa naissance
au sang des lumières
sur ce jour buvard d'encre

IL N'Y A RIEN À COMPRENDRE

Il n'y a rien à comprendre :
un clair de terre tatoue tes seins
l'eau coule pleine de sons
sur ton ventre nu
une planète voyage
à 1500 km/h pour respirer
dans l'équilibre de l'espace
la voie lactée a été faite
à l'image de tes yeux
ta maison s'arrête
dans l'algèbre de la rue
cette ville entre en coup de vent
pour manœuvrer ton imaginaire

et soudain il n'y a plus de place
pour le silence au milieu de ta vie

Le besoin de voir de t'abreuver
ne te vient pas des mirages
mais de la même énergie
que déclenchent
le bruit des vagues
quand tu étires l'océan jusqu'à toi

la terre pivotant sur son déclin
les oiseaux qui planent
sous l'écluse des nuages
le ver de terre dans une pomme
le crapaud dans le feuillage
ou l'attagène qui s'attaque aux tapis

Et puis
plus rien dans ta main
qu'une allumette trempée
pour te dégager de l'indifférence
qui te kidnappe tes rêves

SUAIRE

Je rêvais d'une vie réelle
sans formule plate
apprise par cœur
longue d'embrasement
dépourvue de privilèges
barbelée d'oiseaux

Je me suis détaché
de tout reprendre
ce que le ciel m'a enlevé
parce que mon corps peut s'avorter
en oubliant son nom

mais je ne serai jamais tendre
pour céder au corps
la beauté de son suaire

DE TRÈS BEAUX SILENCES

Une petite mort mécanique
un jour quand j'étais enfant
les mains gelées
sur mon sac d'école

Incapable de respirer
l'oxygène des choses graves
mon âme n'arrivait pas à vomir
ses poussières de terre
dans l'expiration de mes larmes

Aujourd'hui infecté
du ventre jusqu'à l'os
mais encore en pleine moelle
j'utilise ma mort
pour investir ma vie
de très beaux silences

ITINÉRAIRE

Mon être marche en avant
univers en expansion

Dans le froid tumulte de mon sang
le bruit du cœur
veines bras et corps
rythme des pas

À l'envers à l'endroit des blessures
saletés ou lumières
décrivant des morts des naissances
l'urgence de la beauté
d'un chevreuil en chasse
entre la matière et l'invisible

Souffle d'écritures
se tordant dans le poème
voué aux questionnements
dans un cahier plein de ratures

Je ne suis plus
aux enfers comme au ciel
damné entre garçons et péchés

Je souhaite mourir bâtard
pour m'incarner en rayonnement fossile
contrebandier de l'amour

ÉTAT D'INCOHÉRENCE

La matière la cervelle l'esprit
se mettent à rêver
cannibales d'étoiles
têtes d'insectes
trapèze-lumière
beau carnage des profondeurs
l'étrange parcours de l'étincelle
entre la tempe et le cerveau
sombrant dans le tissu des passions

Tout est remis en cause :
miroir cuirasse
le farouche le familier
la naissance de l'autre sur la gueule
le rappel de ton nom
dans la force de la terre
flaques du jour
feutres des nuits
le chant nu de la mort

Au fond des cercueils
l'eau l'os l'irrévélé
les senteurs l'illusion

la bouillie du réel
entremêlés au miracle de la soif

Comment répondre
pour renaître de la démence
de l'amour en protégeant l'espèce

BLANCHIR SON SANG

Vouloir blanchir son sang
pour rôder avec les rayons
du cercle polaire aurore boréale

Souffler sous ses yeux la suie
pour s'ouvrir aux ombres du feu
naissant des lampes de glace

et sur le sol capter
les signes des bêtes
plus calmes que la mort

À cet instant
tout l'inutile sera atteint
de la soif de l'essentiel
là où la lumière boit l'espace
sur l'épave des icebergs

LA MORT FIXÉE AU TOUT DES CHOSES

Je me trompe
toute chose doit avoir une fin

Je me suis approché de la mouche
pour la regarder mourir
scellée entre les vitres
les pattes décollées du corps

Tous les bruits grotesques
de la radio dans la cuisine
insultaient la banalité de sa mort

Je l'ai regardée
mourir la mouche
fixée au tout des choses

Je me suis rappelé
une certaine fin du monde
l'heure exacte de la solitude
cette lenteur dans le dernier vol
d'une flambée d'ailes

À bout de forces
elle est tombée
indispensable au rien
inaccessible au déplacement de la vie
dans l'état particulier
de l'écriture noire
celle des départs
vers l'étoile zéro

BOIS MORT

Pour la fêlure du corps
désolé de son bois mort
hors de la chambre où je respire
gronde ce feu plein de sons :

Est-ce le carré du froid
qui brûle mes os

ou le mouvement des ombres
qui claquent aux fenêtres

Est-ce une tête qui dépasse les toits
et voit ses rêves crever
à la porte de la nuit

Peut-être est-ce le vent du nord
sa grande main glaciale
sur mes yeux
ou est-ce un son blanc de jeune bouleau
qui rêve dans ses branches
au sexe des oiseaux

Ce soir l'hiver a des bagues aux paupières
la neige fait une barrière

INTUITION

Coupures sur mes ailes
bataille en dedans
cœur sur les dents

La nuit soûle comme la neige
pour mieux mordre les os
que la chair cache

Il y a les mots que je dérobe
aux blessures en secouant mes forces
réservoirs d'encre
où me battre
à jeun malade et un peu fou
mains nues jusqu'à l'aube
dans la semence du regard

C'est là que les épaves se décomposent
et que la lente lente dent
agacée par la plaie
relâche vers sa proie
l'éboulement d'une petite joie

Soûle comme la neige
sous les projecteurs

Avaler sa plus brûlante salive

Il va mourir de la bouche
pour traverser la neige
de son âme qu'il cède
à la perte de l'inaccompli

La craie dans la gorge
à l'heure d'effacer le dessin
des arbres où le temps n'a jamais été
qu'un trait volé au néant

Seul devant la première parole
qu'il ne cesse d'interroger
tombent les ressources
des dernières transfusions
avec cette légèreté du grave

Il va passer dans ces endroits maudits
pour se soustraire à l'éternité
du dégoût de la souffrance

Là où ne respire plus
qu'une lèvre muette
il aura avalé

sculptée par le feu
sa plus brûlante salive
l'indépassable amour
que boivent les poètes

TIRAILLEMENTS

Tel un vide qui a consumé
le dedans de la nuit
l'étoile éteinte
n'entend plus le ciel
lui cracher au visage

Et mes os craquent
comme un poème
qui s'est enfargé
dans le futur
en sortant de ma chair

C'est alors que je reviens au jeu
dé dans l'encre
pendant que mes sens
par immersion
me défendent au fusil
dans l'aube du langage

Il y a des mots de lumière sans barbelés

NEIGE AU BEURRE NOIR

Baver comme un loup sur la neige
les démesures du noir
une parole qui chauffe la gorge
même si le malheur est une faiblesse
aux bavures mortelles

Bleue comme une cicatrice
de la taille d'un homme
que serait la panique
devant le grincement de la mort
si je n'avais en ce moment
qu'un cœur à plat qui rampe

Alors qu'il fait dans ma tête
un son creux despotique
je pense à l'enfer
qui se détacherait de ma carcasse
si je me tuais de lumière
pour brûler l'obscurité
au moins jusqu'à la limite de mes bras

ORAGE

L'éclair la pluie l'orage
couteau des matins
clou d'eau
crabe de feu

Avec le vent se bat
le ciel vitrine cassée
prêt à moudre
plus noir que son poids
le malheur sur l'épaule

Mes yeux se taisent
en quête de voir
la bouche reprendre ces mots
où il me faudra sortir
sans domicile fixe

LES PLAIES DE L'ANGE

À la lourdeur du corps
prêt à pleurer ses failles

fléchir solitaire
sous les feux du jour
un masque d'oxygène
pompant les poumons

Le cœur mangé par l'ambulance
hurlant que le malheur est
un albatros aux ailes cassées
par l'amour et le sperme

sur un lit de métal
à mes derniers instants comme l'insecte
couvert des plaies de l'ange
épinglé dans son sang
m'écrouler aux enfers

les os braisés par le chant des morts
aux soins d'urgence

L'INAVOUÉ L'INAVOUABLE

Sans l'oiseau l'espace
perd sa force

Il faut alors jeter des ponts
où tout risquer
porté par l'essence même
des choses au travers des silences

Remuant à n'en plus finir
l'inavoué l'inavouable
de ce qui tremble en nous
il faut voler au carré de l'oiseau
les yeux de ce qu'on peut être
quand la vie nous déplume

LES CHAMPS DE GRAVITÉ

Quand passent
les champs de gravité
le corps s'efface
effleurant le cercueil
pour inventer le monde
l'embellir d'un huitième jour
dans l'accomplissement de son action

Nous n'épuiserons jamais
toutes les identités de la nature humaine
capables d'une continuation
pour en répandre sur les races
les racines l'intuition

Sachant qu'à la beauté
se mesure la laideur
travaillons zen
dans la bave des jours

POÈME ATONIQUE

Sur l'eau
s'endort
la peur

en toi

La mort
s'évade
en un
fruit noir

DE LA VEINE JUSQU'À L'OS

J'ai si mal tenu la beauté
des choses où vivre s'affirme
par l'erreur gratifiante

Tout au long des raisons d'être
j'étais l'indigestion qui brûle
ses jours à bout de bras
dans l'opium et les pharmacies

Bouc fébrile
j'étais regards cornes et sabots
dans ces jeux du rien à perdre
du réel qui tue
la veine et l'os

Avant de n'être
parvenu à supporter
la naissance du courage
en chacun de mes choix
j'étais un grand trou noir

Maintenant je me soigne
au pain et à l'eau

en roulant mes empires
dans la roue des oiseaux

Avant d'avaler n'importe quoi

Je m'appuie
sur mes derniers squelettes
avant d'avaler n'importe quoi
à l'urgence des guérisons

La mort à l'épaule
pour mieux me jeter
dans le trèfle de la vie
je me lave de toute illusion
dans la nature d'une cicatrice

pour capter ce qui reste
de toute la lumière à porter
dans les yeux

QUELQUE CHOSE DE DUR

La mort maintenant
va devenir la vie
jusqu'à l'épuisement
même si les mots te font mal
quand ils marchent sur tes contestations

En pareilles circonstances
face-à-face cette dureté
pour ne plus s'allier aux rumeurs
aux formules collées dans le crâne

L'étendue d'un désastre
que seul ton cœur
dans ses vêtements noirs connaît
pour combattre une fiction de fétiches :
bouillonnements d'orgueil
carnages d'amour
araignées au ventre

Quelque chose de dur
pour en finir avec la mort
que tu veux trancher

comme la tête d'un buveur d'absinthe
pour en faire un travail scientifique

Quelque chose de dur
une balle d'encre verte
pour jouir de l'inclinaison des oiseaux

Au moindre détachement du mal
sous tes pansements
l'être vient de ce qui doit mourir
pour devenir aube

DÉNOUEMENT

C'est dans l'os
que l'on chute
avant d'entrer nu
dans la perle du détachement

la bave sur la langue
comme on dit d'un homme
léchant ses plaies
pour éteindre la noirceur

solitaire

Inadaptable aux normes

Le cœur ouvert
aux larmes du pauvre
je vais vers l'irrévélé
grande marche intuitive
tête en éveil
c'est l'heure de la voie nue
dans l'élévation du jour

Vomie ma nausée
ce petit univers du dégoût
sur play-back vague à l'âme

Pitié pour nous le genre humain
qui n'a pitié de personne
je finirai malade
incurable aux médicaments
la bouche embaumée
d'une joie végétative
la peau décolorée
comme un vieux livre de poésie
dans une bibliothèque de monastère

Je veux me préparer
ainsi qu'un loup errant
entre la terre et les âmes
portant en moi la moisissure
du sang éclos de sa naissance

Je me suis éveillé
au même grain que la mort
alors je m'endormirai
au même blé que la vie
en faisant semblant
de trouver ça naturel

moi dont la venue au monde
est un éloignement

AU NOM D'UN BONHEUR FOU

Une fois de plus
remettons-nous à la vie
dit la mort
dans la descente du poème
vers des aubes où se confier
peut aller jusqu'à faire mal

Entre partage et secret
des mots s'affrontent
eau encre huile feu
déchets et graisses
carnivores de santé
globes visqueux
pour prévenir l'extermination

Entre embrasement et brûlure
une masse d'éléments
que tout repousse et attire
sous les ongles sous la peau
comme l'os de l'âme
collé au corps
au nom d'un bonheur fou

À croire que la beauté
trempe sous des draps sales
vieille blessure problématique
que l'on jette au compost
avec l'idée de voir
en plein jour animal
la mort marcher vers la vie
l'encre se lever vers l'invisible

l'homme ressusciter
comme un gazon vert
avec des pensées génériques

L'odeur d'aimer

Je t'ai aimé
assez pour ne jamais
trop

Un certain malaise

J'ai mal à mes pas
de tant marcher dans ce malaise
vêtements mouillés
à la rencontre d'un regard
une sorte d'œil clément
pas trop lâche ou insouciant

Je m'en vais au Canular
empestant les herbes et le haschisch
qu'on offre en cachant ses pansements
de sang injecté de nuits blanches
mégots et bouts de papier

La main sur un verre
qui joint mon front défait
ma tête suffisamment noyée
à des soleils perdus
sur ma chaise qui craque
je suis ému
comme celui qui m'envoie
un autre verre de bière
et tout le blé pour une seule
nuit en enfer à côté de son corps

Nous savons tous les deux
qu'il y a des gestes
qui amènent des naufrages
jusqu'au sexe dans la mer
et rien à manger

AINSI QUE DES SIGNES OFFERTS

Je m'ouvre à toi
au pied des arbres verts
tel un homme
naïvement bleu
dans les sucs de sa sève

Regard ému
par la lueur du tien
feuille de flamme

Nos mains se parlent
signes offerts
à nos jours d'alliance
sans égard pour l'alcool des fruits
d'un premier baiser

Ici mes mots
s'appuient sur ton épaule
hérons des mondes
aux joies conscientes

et mon cœur pompe au ciel
ses pensées les plus rouges

avant d'abandonner mon corps
au travail du silence
sur la courbe de tes lèvres

Nous sommes prêts à passer
par la sortie du temps
au feu vert des salives initiatiques
au sexe relancé vers sa blancheur

cœurs tendres muscles durs

traversant des jours des nuits
le premier nom
que l'on donne à l'amour
en battant de l'oiseau
qui se mêle au paysage

L'ODEUR D'AIMER

L'écriture ne coule jamais de source
ni ne boit le lait de l'âme
avant que le corps ne pleure
livré au sale

S'il s'agit de forer
le cœur dans son souffle
l'os pour sa moelle
la moindre émotion décante la réalité

Qui n'a jamais senti par miracle
ses pieds lever de terre
en embrassant sur la bouche

Quand s'ouvrent les lèvres
c'est l'odeur d'aimer
qui fait paraître l'invisible

L'idée du ravissement
suppose que le corps est atteint

Alors s'embrase le sang
le regard se sucre

nu jusqu'aux nerfs
avec le rien du pauvre

Mais quand le bonheur s'arrête
planétaire dans sa chute
il faut lécher ses blessures

et la rupture déteint sur la caresse

UNE SECONDE DE TROP

Une seconde de trop
et nous étions perdus
chairs vêtues de bête
cœurs portés par leur poids
graves et légers
dans l'espoir de leurs actes
quand le désir se fait imprévisible

Nous avons été témoins
d'une sorte de nuit
brûlant sa lumière
aux salives de l'amour mortel

Cendres entre les dents
surtout les corps mangés
sur un drap de remords

Fallait-il que le sang s'emmêle
dans un four à plaisirs
où la sueur tente
d'éteindre les dommages
sans se dérober au sexe responsable
de tout homme amoureux

Tout prévenir est improbable
dans la mesure où faire
l'aveu de sa flamme
n'encourage pas la négligence

L'UN POUR L'AUTRE LÂCHES

Nous nous attendions à mourir
l'un pour l'autre lâches
debout entre les tombes
et les pardons de la beauté jetable

Le fait d'arracher un deuil
à la torture du sentiment
ne nous fait pas cracher
le sel qui s'est déposé
au fond de nos gorges

Rien n'adoucit nos vérités
leur chute au milieu des caresses

Tout ce qui compte
à cause des tensions affecte
le cœur l'impression de n'être
jamais aimé
au-delà du corps et des sépultures

SCÈNE DE CHASSE

Nous nous aimerons infectés

Il faut que vous sachiez
l'homme ne fait pas
brûler son corps gratuitement
jusqu'à la calcination des blessures

ni ne fait
étendre ses cendres
dans le but d'exalter la chair
aux beautés d'une végétation prélogique

ni ne fait graver sa pierre
pour s'égarer de l'infini
dans le grain où s'insère le moustique

ni ne s'incarne
heureux en animal domestique
grimpant au vert tendre d'un arbre

De l'existence ordinaire
de nous
il restera toujours
une tache d'huile ou de sang
sur une scène de chasse

À CÔTÉ DE TA CHAIR

Jeter ta beauté sur moi
pour aplatir mes sentiments d'animal
au rouleau compresseur

puis lancer mon corps au compost
avec la pourriture des chairs
consommées par le sentiment

comme si tu savais
que la blessure du désarroi
dégrade l'âme
et précipite un dépôt de cendres
dans un trou de solitude

qui es-tu
laid comme chien sale
pour baver sur ma vie
après usage des sens

Ta nuit me trace
des marques dans le ventre

Je ne veux pas
m'empoisonner d'un spleen malin
mais j'aurais tout quitté
en faveur d'un mot d'amour
tombé de tes lèvres

SOAP (À CROIRE QUE…)

Attends je rêve

La scène fait penser
à une seconde trop longue
dans un scénario fondé sur le fric
sur le cul par manque d'inspiration
comme s'il était possible de saisir
dans ce regard juvénile
un bleu délinquant
à coups d'effets spéciaux

Pour quelques instants
l'amour se prostitue
soap velours pour poussin rose
dans un décor de faux sentiments

Sans lumière
le visage de l'acteur
n'a plus de voix
et sa jeunesse étouffe
dans un hoquet de mousse

C'est ce qu'on appelle
castrer son chien mort

À croire que
l'urgence de la chair
est un aveu d'érection
mal piquée dans le savon

DIVORCE

Après les serments et l'union libre
ce fut au tour des bagues
au doigt de fleurs séchées
dans la fonte du métal

Fallait-il te défaire
du blanc totalisant le noir
dans tes épaves peintes
pour étoiler la mort

Au réel décapant
tes offrandes de chair
pour peu que ta mémoire
n'offense tes salons
ou ton lit de bohème

Et de ta flore tartare
est née comme une oie blanche
une tête de rubis
aux yeux pleins de larmes
perturbant tes pensées
de neige et de goudron
sur tes claps de cinéma

Paraître

Paraître
suit la mesure
du cœur en dépôt
dans une vitrine publicitaire

L'impression d'abandonner sa moelle
au profit d'un cliché
d'un tchador qui conviennent à l'enveloppe
pour ne nourrir que l'image

Aucune parole compromettante
aucune bévue politique
aucun faux pas littéraire
ces gens-là aspirent
à l'obésité des porcs
dans une camisole de jet-set

Blindés de carrière
à la consommation coquille
affectés aux concours d'opportunistes credos
pour fourmis végétatives
l'artifice cacheté aux cent tours du calcul
ils mêlent aux poèmes
leur mauvais goût de clinquant

Pastiches postiches
au parterre des noix
je leur souhaite l'amande
à la pitié des rats
et la tête d'acajou
au bocal des imbéciles

Sous tes pansements d'habitudes

Chaque sentiment détaché de sa blessure
que tu gardes sans conviction
sur un petit carré de feutre
avec tes paroles de circonstance

Tes os
à la nuque des paons
pour faire tes effets de roue
au jouet de la mort

À tes derniers bouts de corde
tes paradis perdus
tes cheveux d'ange
et sur la table ta note d'adieu
avec ta petite monnaie

Et tu as lancé
aux bras morts des statues
tes mécaniques amours
qui rouillent sous tes pansements
d'habitudes

Un rush au cœur

Je ne comprends rien à l'amour
depuis qu'un être de raison
aspire au bout de sa perfection
à documenter l'émail du savoir
une sorte d'étude du cœur
qu'il voudrait enchâsser
aux archives des bibliothèques

L'instinct n'est pas qu'un livre
articulant la prudence de la passion

Dans l'aventure des peaux
il y a toujours nos sentiments
brûlés par le vertige
défigurés par l'erreur

Malgré nos faiblesses
nul corps ne peut au lit
être l'otage de l'autre

À nos moments de bonheur
nulle ruse ne doit au nom des chiffres
prendre part à l'étonnement de l'âme

J'aurais préféré
plusieurs enjambées dans le vide
pour éviter de couler à pic
dans une statistique d'analyse

Mais lorsque mon corps s'est rempli
de sexe et d'encre jusqu'au cou
aimer les fibres d'un gars
avec des vagues de glace dans les yeux
ne m'empêche pas de me nourrir
au fleuve qui effraie
par l'ivresse de sa beauté

Au nom d'une occasion de bonheur
j'aime manger un feu
qui gèle mon cerveau
en donnant un rush au cœur

FAST-FOOD

Es-tu toujours fier
des porcs qui sortent de tes yeux
quand tu vends le luxe de la terre
en quête d'espaces où frire
les viandes des bêtes
braisées au bacon
pour des singes mayonnaise
et des ketchups moutarde

Dans un corps gras bouillant
tu coupes court aux pies qui mentent
chargé comme un nazi
de transformer les espèces
en pièces embrochées
pour petits fours crématoires

Es-tu toujours heureux
de puer de la bouche
avec cette prétention de nourrir
ta foi fondée sur le fast-food
d'un Christ aux mains clouées
en suçant un fromage

JEUX CRUELS

Ces prénoms
écrits sur ton dos
traversent la ville avec toi
corps où fin n'est rien
qu'un fait divers
sur un cercueil de chair

selon l'être
que tu habites
selon celui
que tu prends en chasse

À ton cœur se blesse
qui te touche

Jeux cruels   intrigues
venins de ta passion
pour savoir si ta beauté
fait craquer un poète

Tu allumes et disposes
comme un mauvais garçon
qui consomme des sentiments sauvages
des séductions brisées

Toujours trop l'étreinte
elle finit par étouffer
une sève qui brûle

et déchue la sensation d'aimer
s'occupe à mourir
au réel de la rue
comme un gibier laissé à l'agonie
sur le bord de la route

Tu finiras par recracher
les proies que tu mords
au point de vouloir te changer
en peluche ou en rat
pour te cacher de tes amants
plantés là dans un fossé
comme s'ils n'avaient jamais existé

INJURES

Des regards qui mentent
jusqu'à la bassesse
avec tout ce qu'ils emportent
à distance de fatal

Il y a aussi des caresses
mécaniques qui se frôlent
aux émotions d'où repartent
sans cesse les rosaces des glaciers
capables de contenir toute la crainte

Savons-nous que de nos yeux
s'écoulent des essences
qui brûlent nos mains
quand tristement
l'odeur de l'âme
cache sa beauté

Il ne faut pas dire son nom
aux têtes de vipères
glissant leur fiacre d'injures
dans la luzerne du corps

Injures injures
le mal prend des forces
en proie à des manchots
aux cœurs de fer

INDÉCENCE

À peine me suis-je retrouvé seul
dans ma tête pour écrire les bas-fonds
traîtres et les belles faiblesses du désir
que la salive de ton baiser paralyse
ma bouche comme un arrière-goût d'éther

Avant de te connaître
je m'étais inscrit fragile
à une cure de désinfection d'images
tout ce travail du sentiment
pour parvenir à l'état connu
de l'équilibre précaire

Croyant que j'étais guéri
des rapports entre amants
je me suis exposé
n'obéissant qu'à tes yeux
dérangés par les miens

J'aurais voulu m'enlacer
aux anges de la nuit
glisser vers le tremblement
des corps qui s'échangent leurs désirs

et de la chair au vice carnivore
j'aurais voulu faire vibrer l'os
au nom du plaisir transformé

mais j'ai dû te renvoyer
à tes plates archives de jambon
pour ne pas rôtir comme un animal
dans la fumée des braises

Un autre m'aurait allumé
d'une vie si proche de l'offrande
Un autre m'aurait parlé
du jour qui se meut
dans ses propres parfums
Un autre aurait nourri ma passion
à l'heure brave de la folie

Mais ce soir ma bouche n'a saisi
que tes cendres entre mes dents

SEUIL

Le cœur au point de casser
signale où saigner
sale et pauvre
la plaie responsable du mal

On ne se bat pas à boire ses guerres
contre un bonheur défiguré

Tout fut jeté sur le seuil :
poison rage pansement

J'ai senti le péril
un problème d'homme
pressé d'en finir avec l'air infect
jusqu'à l'indifférence de la seconde qui tue

À ce prix des imprudents départs
doit s'écrire l'inguérissable
quand je sais que la brûlure gèle
toute crue la peau
collée aux vandales

Même à cela
qu'aimer plus qu'haïr

m'apprenne à vivre
à la vitesse où descend l'oiseau
qui n'a pas su voler
d'un ciel aux vents d'automne

CHAIR ÂME DU CIEL

Corps dans l'usine des jours
les poques de la nuit
imprimées sur ma peau
je fais des signes au ciel
comme s'il allait me déchirer
avec sa mâchoire de fer

Ô ciel grondant au socle
de mon âme plus blême qu'une craie
la sainte craie des hosties
tu déclares que l'amour mêlé à mes os
doit être hygiénique pour frencher
la bouche des statues

Même en pleine pharmacie
même frappé d'interdit
je veux attendre
que tu t'accouples
à tes ovaires d'éternité
ô ciel à tête de requin
avec tes péchés mortels
tes tabarnacs de pardons
tes bluffs de paon

tes mains d'eau bénite
tes onguents de vierge

je suis le mortel qui fait bander
ton sexe d'oiseau ton cierge de terre
ta chair âme d'évasions

Tu te crois tellement beau
que j'en ressuscite de délits

ÉNIGME/CHARADE

L'ennui est
que je devrais avoir
assez de mépris
pour te haïr

Mais la blessure supplante le couteau
à détacher du sang
la plaie braise le cœur
à flamber sa résurrection
et le revolver terrorise
le génie de la passion

L'énigme court plus loin
pour être de la fête
mais la bête se répète
pour être du nombre

Le vent passe à cheval
pour entendre le feuillage
mais le chemin le plus sûr
me glisse entre les doigts

Tout se résume
dans l'infection des sentiments

Treuil des jours
cachots des larmes
sangsues du spleen
que j'avale
à m'empoisonner la vie
où je souhaite voir mourir mes blessures
avec la souplesse des leçons apprises

je t'aime
assez pour ne jamais
trop

PLACEBO

La chair prise
dans ses mailles de maladies
comme une substance
rouillant dans ses failles

Rien ne comble jamais le corps
vacciné par ses cendres

Chaque instant mène la poésie
au placebo des bateaux perdus
entre deux mirages
où laisser passer un rêve

Même l'âme se tait
recouverte de craie

Seul entre deux urgences
je sors de l'eau lourde
pour respirer selon le sens
des petits matins infectés

J'aime être sous traitement
cela finira où cela a commencé

je serai aspiré sur un drap taché de sang
pour la suite du monde

Les bouches que nous offrons
nous plongent à la résurrection
du corps en apportant à l'homme
qui se réveille d'un cimetière
une preuve d'érection
un semblant de vérité
à l'heure du zen
vidangé dans ses os

CET INDOMPTABLE PARCOURS DU BONHEUR

Cet indomptable parcours du bonheur
le remettre en question
pour maintenir le fragile équilibre
de la beauté bombardée d'ordures
et de quêtes soûles d'encre

Tantôt un réel râpeux
tête-bêche le long des rues
Montréal à hauts risques
entre la démence d'aimer
jusqu'à faire mal et les instants du rien

Tantôt un pâle espoir sous mes paupières
un baume sur mes pattes blessées
tantôt l'irrecevable
chair à goudron
sur la plate enveloppe
d'une nuit au bout du rouleau

Combien d'utopies ai-je cru
tenir entre mes mains brûlées
pour y greffer
dégâts et foi jusqu'à l'os

Il me reste à préserver
l'intuition du moindre feu
qui m'habite encore
la mise au monde du bonheur

L'INVITATION AU BONHEUR

On ne guérit jamais
d'un moment de passion
en attendant que l'amour soit
l'éclatement de l'être

Je suis homme juste avant l'aube
quand le soleil dérègle
toutes couleurs de virilité
avant de baptiser le corps
à la roue du ciel
que l'oiseau va transporter

au plus humain dedans la foule

Souvent la vie
ne cherche qu'à corriger
la souillure dans l'effort
de rembourser cette dette de cœur
qu'elle nous doit
sur son lit de mort

Avec les meilleures intentions

Existe-t-il des jours des nuits
capables d'éteindre un paysage
désolé de ses arbres sales

ou des sentiments moins naïfs
qui laisseraient passer
un peu de bonheur
en relevant la route
jusqu'au secret des yeux
pour leur faire croire
qu'ils peuvent voler
devant ce qu'ils éclairent

Je ne peux croire
à la pureté d'intention
qui ne m'offre que des scènes
de petite fée jalouse

Je ne te demande pas de m'aimer
si tes yeux n'ont plus rien
à boire à la source de nous-mêmes

AIMER N'EST PAS SE RENDRE

Aimer n'est pas se rendre
à la possession de l'autre
ni se perdre dans l'autre
mais tout mettre en œuvre
pour que l'amour n'ait
ni lois ni règles
dans l'entente de l'engagement

Je connais assez l'amour
pour accepter que les choses
s'en aillent avec la souplesse
du vent et le courage
de les voir partir

L'acte de l'amour
est plus que l'acte lui-même

Table

AVALER SA PLUS BRÛLANTE SALIVE

L'ODEUR D'AIMER

AUTRES TITRES PARUS
DANS LA COLLECTION POÉSIE

Cet ouvrage composé en New Baskerville corps 12
a été achevé d'imprimer
en février deux mille
sur les presses de Transcontinental
Division Imprimerie Gagné
à Louiseville
pour le compte des
Éditions de l'Hexagone.

Imprimé au Québec (Canada)